LE NUAGE ET LA LUNE

LE NUAGE ET LA LUNE

64 contes et poèmes
de sagesse

LE GRAND LIVRE DU MOIS

Introduction

Ce recueil de contes, paraboles et paroles d'éveil a été glané dans les traditions du monde entier, et il est bien la preuve que l'âme humaine, quels que soient l'époque ou le lieu, a toujours cherché non seulement à comprendre le sens de sa venue et de son action sur cette terre, mais aussi à résoudre ces questions primordiales du « qui suis-je » et du « pourquoi suis-je ici » avec bon sens et humour.

Ces histoires de tous temps nous enseignent donc une sagesse immémoriale qui peut se comprendre aujourd'hui comme demain. Mon souhait est qu'elles fassent méditer souvent et sourire parfois : elles ont été choisies pour créer une surprise dans l'esprit, comme un saut dans le continuum de la conscience, créateur d'une énergie nouvelle. C'est là en tout cas l'effet qu'elles me font.

Et que signifie le titre de ce recueil, me direz-vous ? Il m'a été suggéré par des vers de Li-Po, poète ermite chinois du VIIIe siècle :

A l'éclat du couchant, je suis le fil de l'eau
En laissant jusqu'à lui s'envoler ma pensée,

Je chante vainement la beauté de la lune
Au milieu des nuages.
La chanson terminée, les sapins la prolongent.

C'est un hommage à cette nature que nous savons si bien détruire, et qui nous enseigne pourtant la beauté de la création.

Marc de Smedt

Qui est responsable ?

Deux époux se querellaient. Ils en vinrent à se battre. Aussi un jugement fut-il demandé.

Lequel avait raison, le mari ou la femme ? Lequel a offensé l'autre ?

Pas de réponse.

Alors le juge demanda au fils :

« Lequel des deux a commencé ? C'est ton père ou c'est ta mère ? »

Le garçon répondit :

« Je ne peux pas affirmer si c'est seulement ma mère ou si c'est seulement mon père. »

Parabole japonaise

La dispute

Deux anciens ermites coptes du désert d'Egypte, vivant ensemble dans une cellule, n'avaient jamais eu une seule dispute. Aussi l'un d'eux dit-il un jour à l'autre : « Allons, ayons au moins une querelle, comme les autres. » Son interlocuteur répondit : « Je ne sais comment commencer. » Le premier reprit : « Je vais mettre cette brique entre nous, puis je dirai : « Elle est à moi. » Ensuite vous direz : « Non, elle m'appartient. » Voilà ce qui amène les contestations et les disputes. » Ils placèrent donc la brique entre eux. L'un dit : « Elle est à moi », et l'autre : « Je suis sûr qu'elle est à moi. » Le premier reprit : « Elle n'est pas à vous, elle est à moi. » Alors l'autre s'écria : « Eh bien, si elle vous appartient, prenez-la ! » Et ils ne réussirent pas, malgré tout, à se disputer.

Parabole des pères du désert d'Egypte

Equilibre

Celui qui se dresse sur la pointe des pieds
Perd vite l'équilibre.
Qui marche à pas démesurés
Ne tiendra pas la distance.

Qui veut briller n'éclaire pas.
Qui se fait valoir n'impose pas.
Qui se glorifie n'a point de mérites.
Qui s'exalte, lui-même ne sera pas reconnu.

Pour la voie du Tao ce sont là
Excès de nourritures et excroissances inutiles,
Pratiques détestables à tous.

Celui qui suit la voie
Les écarte.

Lao Tseu

Amour

Le sage doit
rechercher
le point de départ
de tout désordre.
Où ?
Tout commence par
le manque d'amour.

Mo-Tzu

Passion et sans passion

« Nagasena, quelle est la différence entre l'homme passionné et l'homme sans passion ?

— L'un est attaché, l'autre est détaché.

— Qu'entends-tu par là ?

— L'un convoite, l'autre ne convoite pas.

— Voici comment je comprends la chose : l'homme passionné et l'homme sans passion désirent tous deux ce qui est bon — par exemple la nourriture —, non ce qui est mauvais.

— L'homme passionné, ô roi, quand il mange, goûte la saveur et la passion de la saveur ; l'homme sans passion goûte la saveur, mais non la passion de la saveur. »

Questions de Millenda

Le vent du savoir

La vie et la mort
mises en nous y demeurent.
Torse contre torse,
elles s'y trouvent, elles y luttent.
Comme l'eau contre la terre
elles y luttent sans répit.
Chaque victoire gagnée sur la droite,
sur la gauche est défaite.
Tout gain acquis à l'Est
à l'Ouest devient perte.
Notre faim de connaître
est un feu toujours ardent.
Le vent de ton savoir
Souffle et l'attise davantage.

Parabole kaidara d'Afrique

Parole sage

Une parole sage
est plus cachée que l'émeraude.
Pourtant on la trouve auprès
d'humbles serviteurs qui broient le grain.

Ptahotep

Dire le vrai

Bien penser :
la qualité suprême.
Et la sagesse :
dire le vrai et agir
suivant la nature,
à l'écoute.

Héraclite

Ne fais pas à autrui

Un païen alla voir un jour Chammaï et lui dit :
« Apprends-moi toute la loi juive
dans le seul temps
où je pourrai me tenir sur un pied. »
Chammaï le chassa.

L'homme alla voir Hillel
et lui fit la même demande :
« Ne fais pas à autrui
ce que tu n'aimerais pas qu'il te fasse,
répondit Hillel,
c'est là toute la Thora.
Le reste n'en est que le commentaire.
Va et étudie-le. »

Talmud
Traité du Chabbat (30b)

La parole

Le disciple meurt d'envie de raconter au Maître la rumeur qu'il a entendue au marché.

« Attends un instant, dit le Maître. Que comptes-tu nous raconter ? Est-ce une chose vraie ?

— Je ne crois pas.

— Une chose utile ?

— Non.

— Drôle ?

— Non.

— Alors pourquoi devrions-nous l'entendre ? »

Recueilli par Anthony de Mello

Les sept étapes

A sept reprises, j'ai réprimandé mon âme.

La première fois, quand elle a tenté de recevoir des honneurs au moyen de l'humilité.

La deuxième, lorsqu'elle a feint de boiter devant les impotents.

La troisième, au moment où, ayant le choix entre la difficulté et la facilité, elle a opté pour la seconde.

La quatrième, quand, ayant commis une erreur, elle s'est consolée avec les erreurs des autres.

La cinquième, lorsqu'elle s'est résignée à la patience par faiblesse, en attribuant sa patience à sa propre force.

La sixième, au moment où elle a relevé les pans de sa robe pour échapper à la boue de la vie.

Et la septième fois, quand elle a chanté un hymne de louanges à Dieu en prenant les louanges pour vertu.

Khalil Gibran

Les coqs de combat

Un roi désirait avoir un coq de combat très fort et il avait demandé à l'un de ses sujets d'en éduquer un. Au début, celui-ci enseigna au coq la technique du combat. Au bout de dix jours, le roi demanda : « Peut-on organiser un combat avec ce coq ? » Mais l'instructeur dit : « Non ! Non ! Non ! Il est fort, mais cette force est vide, il veut toujours combattre ; il est excité et sa force est éphémère. »

Dix jours plus tard, le roi demanda à l'instructeur : « Alors, maintenant, peut-on organiser ce combat ? — Non ! Non ! Pas encore. Il est encore passionné, il veut toujours combattre. Quand il entend la voix d'un autre coq, même d'un village voisin, il se met en colère et veut se battre. »

Après dix nouvelles journées d'entraînement, le roi demanda de nouveau : « A présent, est-ce possible ? » L'éducateur répondit : « Maintenant, il ne se passionne plus, s'il entend ou voit un coq, il reste calme. Sa posture est juste, mais sa tension est forte. Il ne se met plus en colère. L'énergie et la force ne se manifestent pas en surface.

— Alors, c'est d'accord pour un combat ? » dit le roi. L'éducateur répondit : « Peut-être. » On amena de nombreux coqs de combat et on organisa un tournoi. Mais les coqs de combat ne pouvaient s'approcher de ce coq-là. Ils s'enfuyaient, effrayés ! Aussi n'eut-il pas besoin de combattre. Le coq de combat était devenu un coq de bois. Il avait intérieurement une forte énergie qui ne se manifestait pas en s'extériorisant. La puissance se trouvait dès lors en lui, et les autres ne pouvaient que s'incliner devant son assurance tranquille et sa vraie force cachée.

Conte chinois

Ne pas mépriser

Ne dédaigne aucun homme
et ne méprise aucune chose
car il n'y a pas d'homme qui n'ait son heure
et il n'y a pas de chose qui ne trouve sa place.

Bible
Traité des Pères (4.3)

La voie de l'erreur

Si nous adhérons à l'esprit mesquin,
Perdant toute mesure,
Nous basculons dans la voie de l'erreur.

Shin Jin Meï

Avant de parler

Avant de parler, considère : premièrement ce que tu dis, deuxièmement pourquoi tu le dis, troisièmement à qui tu le dis, quatrièmement de qui tu le tiens, cinquièmement ce qui résultera de tes paroles, sixièmement quel profit en découlera, septièmement qui écoutera ce que tu diras.

Mets alors tes paroles sur le bout de ton doigt et tourne-les de ces sept manières avant de les exprimer : aucun mal ne résultera jamais de tes paroles.

Dicton égyptien

Attraper le serpent

« Bhikkhus, un disciple étudiant de cette façon peut être comparé à un homme qui tente d'attraper un serpent venimeux au fond de la jungle. S'il use de sa main, le reptile peut le mordre au poignet, à la jambe ou à un autre endroit du corps. Essayer de capturer un serpent de cette manière ne présente aucun avantage et ne peut apporter que des souffrances.

« Bhikkhus, il en va de même lorsqu'on interprète mal mes paroles. Si vous ne pratiquez pas le Dharma avec justesse, vous pouvez saisir le contraire de ce qui est enseigné. Mais si vous le pratiquez avec intelligence, vous comprendrez à la fois la lettre et l'esprit des enseignements — et vous serez à même de les expliquer correctement. Ne pratiquez pas seulement pour le plaisir de paraître ou d'argumenter avec autrui. Pratiquez pour atteindre la délivrance — et ce faisant, vos souffrances seront moindres.

« Bhikkhus, celui qui étudie intelligemment le Dharma est semblable au chasseur qui use d'un bâton fourchu pour capturer un serpent venimeux dans la jungle. Il bloque la tête du reptile à l'aide du bâton et le saisit par le cou avec la main. Alors, même si le serpent se love autour de son poignet, il ne pourra le mordre. Telle est la maîtrise du serpent, laquelle ne conduit ni à la souffrance ni à l'épuisement.

« Bhikkhus, un fils ou une fille de bonne famille qui s'exerce au Dharma doit faire preuve de la plus grande habileté pour comprendre la lettre et l'esprit des enseignements. Il ne doit pas étudier dans le dessein de se vanter, de débattre ou d'argumenter, mais en vue d'accéder à la libération. En pratiquant avec intelligence, ses souffrances seront moindres. »

Dits du Bouddha

Le voleur

Un voleur entra dans la maison d'un soufi mais n'y trouva rien. Comme il s'en allait les mains vides, le derviche sentit son désespoir et lança devant le voleur la couverture dans laquelle il dormait afin que le voleur ne partît pas désappointé.

J'ai entendu dire que ceux qui marchent
Sur le chemin de Dieu
Ne troublent pas même le cœur
De leurs ennemis.
Comment peux-tu espérer atteindre un rang élevé,
Toi qui es en désaccord et en inimitié avec tes amis ?

Saadi

Arbres, feuilles et fruits

On demanda un jour à l'abbé Agathon : « Lequel est le plus parfait ? L'ascétisme corporel ou le contrôle de l'homme intérieur ? » L'ancien répondit : « L'homme est comme un arbre. Ses efforts physiques ressemblent aux feuilles, mais la maîtrise intérieure ressemble aux fruits. Or, puisqu'il est écrit que tout arbre qui ne porte pas de bons fruits sera coupé et jeté au feu, nous devons tous nous efforcer de porter ce fruit qu'est la maîtrise de soi. Mais nous avons également besoin de feuilles pour nous couvrir et nous embellir : c'est-à-dire des bonnes actions faites avec l'aide du corps. »

Cet abbé Agathon était rempli de sagesse et de compréhension, infatigable, et toujours prêt à tout. Il s'appliquait avec énergie aux travaux manuels et était d'une grande sobriété dans sa nourriture et ses vêtements.

Parabole du désert d'Egypte

L'éléphant

Quatre aveugles s'assemblèrent un jour pour examiner un éléphant. Le premier toucha la jambe de l'animal et dit : « L'éléphant est comme un pilier. » Le second palpa la trompe et dit : « L'éléphant est comme une massue. » Le troisième aveugle tâta le ventre et déclara : « L'éléphant est comme une grosse jarre. » Le quatrième, enfin, fit bouger une oreille de l'animal et dit à son tour : « L'éléphant est comme un grand van. » Puis ils se mirent à se disputer sur ce sujet. Un passant leur demanda la raison de leur querelle ; ils la lui exposèrent et le prirent comme arbitre. L'homme déclara : « Aucun de vous n'a bien vu l'éléphant. Il n'a pas l'air d'un pilier, mais ses jambes sont des piliers ; il n'a pas l'air d'un van, mais ses oreilles y ressemblent. Il n'a pas l'aspect d'une jarre, c'est son ventre qui en est une. Il n'est pas une massue, c'est sa trompe qui est semblable à une massue. L'éléphant est une combinaison de tout cela : jambes, oreilles, trompe et ventre. » Ainsi se querellent ceux qui n'ont vu que l'un des aspects de la Divinité ou de quoi que ce soit.

Conte hindou

L'excès

Il y avait un homme, raconte-t-on, qui avait coutume de manger des quantités énormes de nourriture le soir, et ensuite de se tenir debout en prière jusqu'à l'aube. Un Sage, entendant cela, fit remarquer : « Si cet homme ne devait manger que la moitié d'un pain, et puis dormir, il serait meilleur qu'il n'est. »

Evite l'excès alimentaire, afin de pouvoir
Obtenir la lumière de la connaissance.
Tu es vide de sagesse, parce que tu es plein
Jusque-là de nourriture.

Saadi

Le travail et la lecture

Un frère vint trouver l'abbé Sylvain au mont Sinaï, et, voyant les ermites au travail, il s'écria :

« Pourquoi travaillez-vous pour gagner du pain périssable ? Marie a choisi la meilleure part : rester assise aux pieds du Seigneur sans rien faire. » Alors l'abbé dit à son disciple Zacharie : « Donnez un livre au frère, mettez-le dans une cellule vide, et qu'il lise. »

A la neuvième heure, le frère qui lisait commença à guetter l'abbé en espérant qu'il l'appellerait pour dîner, et un peu après la neuvième heure, il alla le trouver et lui dit : « Les frères n'ont-ils pas mangé aujourd'hui, père ? — Oh ! si, bien sûr, ils viennent de terminer leur dîner. — Alors pourquoi ne m'avez-vous pas appelé ? demanda le frère. — Vous êtes un homme spirituel ; vous n'avez pas besoin de cette nourriture périssable, répondit l'ancien. Nous, nous sommes obligés de travailler ; mais vous avez choisi la meilleure part. Vous lisez toute la journée, vous pouvez donc vous passer de manger. »

En entendant ces mots, le frère s'écria : « Pardonnez-moi,

mon père. » Et l'ancien reprit : « Marthe est indispensable à Marie, car c'est parce que Marthe travaillait que Marie a pu mériter les louanges du Christ. »

Parabole du désert d'Egypte

La lettre et l'esprit

Un homme habitant un village avait reçu d'un parent à la campagne une lettre le priant d'acheter diverses choses. Au moment de s'en occuper, l'homme vit qu'il avait égaré la lettre. Après l'avoir longtemps cherchée, il finit par la retrouver. Il la relut, et voici ce qu'elle contenait : « Envoie-moi dix livres de sucreries, cent oranges et huit pièces de drap. » Il s'en alla faire les achats nécessaires et ensuite jeta la lettre.

Pendant combien de temps une telle lettre aurait-elle de la valeur pour vous ? Tant que vous ne connaîtriez pas son contenu. Ensuite, vous vous efforceriez d'acquérir les choses demandées. Les Ecritures saintes ne font que vous montrer le chemin qui mène à Dieu, c'est-à-dire le moyen de réaliser Dieu. Une fois que vous connaissez la voie, efforcez-vous d'arriver au but, qui est la réalisation.

Conte hindou

L'arc tendu

L'abbé Antoine conversait un jour avec plusieurs frères lorsque survint un chasseur qui chassait le gibier dans le désert. Voyant que l'abbé Antoine et les frères s'amusaient, il fut scandalisé. L'abbé Antoine lui dit : « Mettez une flèche dans votre arc et lancez-la. » Il le fit. « Une autre, commanda l'ancien. Et une autre, et une autre. » Le chasseur répondit : « Si je tends sans cesse mon arc, il va se briser. » L'abbé Antoine répliqua : « Il en est de même dans la vie spirituelle. Si nous nous tendons outre mesure, nous nous effondrerons bientôt. Aussi est-il bon, de temps en temps, de relâcher nos efforts. »

Parabole du désert d'Egypte

Le moustique

On ressemble souvent à un moustique qui se prend pour quelqu'un d'important. Voyant un fétu de paille flottant sur une flaque d'urine d'âne, il lève la tête et se dit :

« Voilà longtemps que je rêve de l'océan et d'un vaisseau. Les voici ! »

Cette flaque de purin lui paraît profonde et sans limites car son univers a la taille de ses yeux. De tels yeux ne voient que de tels océans. Soudain, le vent déplace légèrement le fétu de paille et notre moustique de s'exclamer :

« Quel grand capitaine je suis ! »

Si le moustique connaissait ses limites, il serait semblable au faucon. Mais les moustiques n'ont pas le regard du faucon.

Conte soufi

L'entraînement

C'est l'histoire du samouraï qui vint voir le légendaire maître Miyamoto Musachi, et lui demanda de lui enseigner la véritable Voie du sabre. Ce dernier accepta. Devenu son disciple, le samouraï passait son temps, sur l'ordre du maître, à porter et couper du bois, aller chercher de l'eau à la source lointaine. Et ce, tous les jours, durant un mois, deux mois, un an, trois ans. Aujourd'hui, n'importe quel disciple se serait enfui au bout de quelques jours, quelques heures même. Le samouraï, lui, continuait, et en fait, entraînait ainsi son corps. Au bout de trois ans, il n'y tint toutefois plus, et dit à son maître : « Mais quel entraînement me faites-vous subir là ? Je n'ai pas touché un sabre depuis mon arrivée ici. Je passe mon temps à couper du bois à longueur de journée et à porter de l'eau ! Quand m'initierez-vous ? — Bon, bon, répondit le maître. Je vais vous apprendre la technique, puisque vous le désirez. » Il le fit entrer dans le dojo, et, chaque jour, du matin au soir, lui ordonnait de marcher sur le bord extrême du tatami et de faire, ainsi, pas à pas, sans se tromper, le tour de la salle.

Donc le disciple marcha ainsi un an le long du bord du tatami. Au bout de ce temps, il dit au maître : « Je suis un samouraï, j'ai beaucoup pratiqué l'escrime, et rencontré d'autres maîtres de kendo. Aucun ne m'a enseigné comme vous le faites. Apprenez-moi enfin, s'il vous plaît, la vraie Voie du sabre. — Bien, dit le maître, suivez-moi. » Il l'emmena loin dans la montagne, là où se trouvait une poutre de bois traversant un ravin d'une profondeur inouïe, terrifiante. « Voilà, dit le maître, il vous faut traverser ce passage. » Le samouraï disciple n'y comprenait plus rien et, face au précipice, hésitait, ne sachant plus que faire. Tout d'un coup, ils entendirent toc-toc-toc, le bruit d'un bâton d'aveugle, derrière eux. L'aveugle, sans tenir compte de leur présence, passa à côté d'eux et traversa sans hésitation, en tapotant de son bois la poutre qui franchissait le ravin. « Ah, pensa le samouraï, je commence à comprendre. Si l'aveugle traverse ainsi, moi-même, je dois en faire autant. » Et le maître lui dit à cet instant : « Pendant un an, tu as marché sur le bord extrême du tatami, qui est plus étroit que ce tronc d'arbre, alors, tu dois passer. » Il comprit et… traversa d'un coup le pont.

Voilà, l'entraînement était complet : celui du corps pendant trois ans ; celui de la concentration sur une technique (la marche) pendant un an, et celui de l'esprit face au ravin, face à la mort.

Histoire japonaise

Le maître de sabre et ses trois fils

Un grand maître de sabre reçut un jour la visite d'un confrère. Pour présenter ses trois fils à son ami, et montrer le niveau qu'ils avaient atteint en suivant son enseignement, le maître prépara un petit stratagème : il cala un vase sur le coin d'une porte coulissante, de manière à ce qu'il tombe sur la tête de celui qui entrerait dans la pièce.

Tranquillement assis avec son ami, tous deux face à la porte, le maître appela son fils aîné. Quand celui-ci se trouva devant la porte, il s'arrêta net. Après avoir entrebâillé la porte, il décrocha le vase avant d'entrer. Refermant la porte derrière lui, il replaça le vase avant d'aller saluer les deux maîtres : « Voici mon fils aîné, dit le maître en souriant, il a déjà atteint un bon niveau et est en voie de devenir maître. »

Le second fils fut appelé. Il fit coulisser la porte et commença à entrer. Esquivant de justesse le vase qu'il faillit recevoir sur le crâne, il réussit à l'attraper au vol. « C'est mon second fils, expliqua-t-il à l'hôte, il a encore un long chemin à parcourir. »

Quand ce fut le tour du fils cadet, celui-ci entra précipitamment et reçut lourdement le vase sur le cou. Mais avant que le vase ne touche les tatamis, il dégaina son sabre et le cassa en deux. « Et celui-là, reprit le Maître, c'est mon fils cadet. C'est un peu la honte de la famille, mais il est encore jeune. »

Histoire japonaise

Le hérisson et les gazelles

On rapporte qu'un hérisson parcourait les sentiers de la forêt sur les traces des gazelles. Chaque fois qu'il rencontrait un animal en chemin, il s'enquérait auprès de lui si aucune gazelle n'était, à sa connaissance, passée par là.

Un jour, il rencontre un renard qui voulait mettre notre hérisson face à la réalité et lui enlever toute illusion : « Comment peux-tu, cher hérisson, te fatiguer tant à poursuivre des gazelles, n'as-tu pas encore compris que celles-ci sont aussi rapides que le vent et que tu n'as aucune chance de pouvoir en rattraper aucune ! Débarrasse-toi donc de cette obsession et mets ton âme en repos. »

Ce à quoi le hérisson répondit : « Je sais, cher ami, que mon pas est lent et que mes yeux distinguent à peine la lumière, mais sache que je n'ai dans la vie qu'une seule prétention : mon seul espoir, vois-tu, est de mourir sur le chemin des gazelles. »

Telle est la force de l'absolu, qui nous pousse en avant.

Conte soufi

Quel esprit ?

En arrivant à la porte d'un temple, un grand érudit aperçut une petite échoppe tenue par une vieille femme. Elle y vendait des gâteaux de riz. Ryutan en demanda trois. Son air fanfaron éveilla la curiosité de la vieille femme :

« Que portez-vous sur votre épaule ? » demanda-t-elle.

« C'est un texte hautement précieux et d'une telle profondeur que je ne peux vous en parler. C'est le Kongo Kyo. Mais cela ne signifie rien pour vous, donnez-moi donc mes gâteaux de riz ! »

« Je suis une ignorante, il est vrai, mais curieuse, dit la vieille femme. Je veux vous poser une question, et je vous donnerai mes gâteaux de riz à la seule condition que vous répondiez. N'est-ce pas dans ce précieux et profond texte qu'il est écrit que l'esprit du passé est insaisissable, insaisissable l'esprit du présent, insaisissable également l'esprit du futur ? Alors, dites-moi avec quel esprit allez-vous manger mes gâteaux de riz ? Quel esprit choisir ?... l'esprit du passé, celui du présent ou celui du futur ? »

Ryutan resta stupéfait... il ne put obtenir ses gâteaux de riz qui étaient demeurés insaisissables.

Parabole chinoise

Développement

Le célèbre économiste explique son projet de développement au maître. Ce dernier est très intéressé.

« Dans une théorie économique, n'y a-t-il pas d'autres facteurs que le développement à considérer ? demande-t-il.

— Tout développement est bon en soi, dit l'économiste.

— N'est-ce pas là ce que pense la cellule cancéreuse ? » répond le Maître.

Recueilli par Anthony de Mello

Le puits

Il y avait une fois une grenouille qui vivait dans un puits. Elle y était née et elle y avait été élevée. C'était une toute petite grenouille. Or un jour, une autre grenouille qui avait vécu au bord de la mer vint à tomber dans ce puits. L'habitante du puits interrogea la nouvelle venue : « D'où viens-tu ? — Je viens de la mer, répliqua l'autre. — La mer ? Est-elle grande ? — Oh oui ! Elle est très grande, dit la visiteuse. — Serait-elle donc aussi grande que mon puits ? — Comment peux-tu, ma chère amie, comparer la mer avec ton puits ? — Non, il ne peut rien exister de plus grand que mon puits. Cette gaillarde-là ment, et il faut l'expulser d'ici ! » s'écria la petite grenouille.

Il en est de même de tous les hommes à l'esprit étroit. Assis au fond de leur petit puits, ils s'imaginent que le monde entier ne saurait être plus grand que lui.

Conte hindou

L'arc

Un guerrier, armé de la tête aux pieds, dirigeait son cheval vers la forêt. En le voyant arriver, si altier, un chasseur prit peur. Il prit une flèche et banda son arc.

Le voyant ainsi prêt à tirer, le cavalier lui cria :

« Arrête ! Ne te fie pas à mon apparence. La vérité est que je suis très faible. Quand vient l'heure du combat, je suis plus effrayé qu'une vieille femme. »

Le chasseur lui dit alors :

« Va-t-en. Heureusement que tu m'as averti à temps. Sinon j'aurais tiré sur toi ! »

L'habit ne fait pas le guerrier !

Conte japonais

Souplesse

Qui se plie sera redressé
Qui s'incline restera entier

Rien n'est plus souple que l'eau
Mais pour vaincre le plus dur et le rigide
Rien ne la surpasse

La rigidité conduit à la mort
La souplesse conduit à la vie.

Lao Tseu

Qui sait

Qui connaît les autres a l'intelligence
Qui se connaît lui-même a le discernement
Qui triomphe des autres est fort
Qui triomphe de lui-même possède la force
Qui sait se contenter est riche
Qui sait persévérer est volontaire
Qui sait demeurer est stable
Qui vit la mort jouit d'une longue vie

Lao Tseu

La fleur

L'abbé Marc dit un jour à l'abbé Arsène : « Il est bon, n'est-ce pas, de n'avoir rien dans une cellule qui soit là simplement pour notre plaisir ? J'ai connu, par exemple, un frère qui, s'étant aperçu qu'une petite fleur sauvage poussait dans sa cellule, l'arracha aussitôt — C'est très bien, répondit l'abbé Arsène. Mais chacun doit suivre sa voie, et, lorsqu'on n'est pas capable de se passer de la fleur, il faut la replanter. »

Parabole du désert d'Egypte

Fou ou pas si fou ?

Un jour un disciple demande carrément au maître : « Avez-vous atteint la sainteté ?

— Comment puis-je le savoir ? répond-il.

— Qui le saurait, sinon vous ?

— Demandez à une personne normale si elle est normale, et elle vous affirmera qu'elle l'est. Demandez à un fou s'il est normal, et il vous assurera qu'il l'est ! »

Et il éclate d'un grand rire.

Plus tard, il dit : « Si vous vous rendez compte que vous êtes fou, cela veut dire que vous n'êtes pas si fou que cela, n'est-ce pas ? Si vous vous dites que vous êtes saint, cela veut dire que vous n'êtes pas aussi saint que cela, n'est-ce pas ? La sainteté est toujours naturelle. »

Recueilli par Anthony de Mello

Le radeau

« Bhikkhus, comme je vous l'ai répété bien des fois, il est important de connaître le moment où il convient d'abandonner le radeau et de ne plus s'y accrocher. Lorsqu'une rivière de montagne entre en crue, un homme qui entend la franchir peut légitimement s'interroger : "Quel est le moyen le plus sûr de traverser ce torrent ?" Après avoir examiné la situation, il décide de couper quelques grosses branches afin d'assembler un radeau pour gagner l'autre rive. Mais, une fois arrivé de l'autre côté, le voilà qui pense : "J'ai consacré beaucoup de temps et d'énergie à ce radeau. C'est là un bien précieux. Je vais donc poursuivre ce voyage en l'emportant avec moi." Et il le met sur ses épaules ou sur sa tête pour le garder avec lui sur la terre ferme. Bhikkhus, pensez-vous qu'il s'agit là d'une décision intelligente ?

— Certes non, Honoré-par-le-Monde.

— Cet homme, reprit le Bouddha, n'aurait-il pu agir avec plus de sagesse et penser : "Ce radeau m'a aidé à franchir le torrent sans dommage. Je vais à présent le laisser sur la berge afin qu'il serve à autrui." N'aurait-ce pas été là une décision intelligente ?

— Sans nul doute, Honoré-par-le-Monde », acquiescèrent les moines.

Alors le Bouddha leur parla ainsi :

« J'ai cultivé bien des fois cette métaphore du radeau afin de vous rappeler combien il est nécessaire d'abandonner les vrais enseignements, pour ne rien dire des faux. »

Dits du Bouddha

Le pin parasol

En Chine, il y avait un moine Zen, appelé Maître Dori. Il faisait zazen perché sur un pin parasol et on le surnommait Maître Nid d'Oiseau. Un très célèbre poète, Sakuraten, lui rendit visite, et lorsqu'il le vit méditer ainsi, il lui dit :

« Faites attention, c'est dangereux, vous pourriez tomber du pin.

— Pas du tout, répondit maître Dori. C'est vous qui êtes en danger. Ici et maintenant, je fais zazen, mon esprit est complètement fixé. Vous, vous ne faites pas du tout zazen, et êtes toujours plein de passions. Vous écrivez des poèmes et votre esprit est sans cesse en mouvement, sensible, anxieux, tourmenté. »

Sakuraten demanda au maître zen :

« Quelle est la véritable essence du Bouddhisme ? »

Maître Dori répondit :

« Ne faites pas le mal, pratiquez seulement le bien. Pratiquer le bien est très simple. C'est l'essence du bouddhisme. »

Parabole chinoise

Laver les bols

Une très célèbre histoire de maître Josshu :

« Maître, s'il vous plaît, enseignez-moi le vrai sens du Zen. »

Josshu lui répondit :

« As-tu terminé ton repas ?

— Oui.

— Alors, va laver tes bols ! »

Histoire zen

Le maître et le disciple

Houei-hai alla d'abord dans la province Kiang-si pour demander l'enseignement à Ma-tsou. Ma-tsou lui demanda :

« D'où venez-vous ?

— Je viens du Temple Grand Nuage de la province Yue.

— Que venez-vous chercher ici ?

— Je suis venu pour chercher la Loi (Vérité) du Bouddha.

— Ne vous détournez pas de votre propre Trésor. Vous l'abandonnez et allez courir ailleurs. A quoi sert cela ? Chez moi il n'y a rien. Quelle Loi du Bouddha cherchez-vous ? »

Après s'être prosterné, Houei-hai demanda au maître Ma-tsou : « Quel est mon propre Trésor ?

— Celui qui me le demande maintenant est votre Trésor qui est pourvu de tout sans que rien ne lui manque. Vous pouvez l'utiliser librement. Pourquoi faut-il aller chercher à l'extérieur ? »

Sur ces paroles, Houei réalisa le grand Eveil et il sut que sa propre vérité ne dépendait que de lui.

Parabole chinoise

La loi des extrêmes

Un jour, Bouddha entra dans la ville d'un certain prince. Ce dernier était un homme qui se livrait à tous les excès, à toutes les débauches. Quand il entendit que Bouddha était dans la ville, il lui demanda un *darshan* (entretien spirituel). Le prince se jeta aux pieds de Bouddha et lui dit : « Initie-moi. Je veux quitter ce monde. » Ceux qui l'accompagnaient ne pouvaient en croire leurs oreilles. Comment ? Le prince ? Lui qui vivait dans le luxe et les plaisirs ? Ce n'était pas possible. Ils demandèrent à Bouddha : « Que se passe-t-il ? C'est un véritable miracle. Que lui as-tu fait ? »

Bouddha leur répondit : « Je n'ai rien fait. Le mental passe facilement d'un extrême à l'autre. C'est sa nature même. Ainsi l'attitude du prince n'est pas inattendue. Au contraire. C'est parce que vous ne connaissez pas la loi du mental que vous êtes si surpris. »

Dhammapada

L'inespéré

Si tu n'espères pas l'inespéré,
Tu ne parviendras pas à le trouver :
Inexplorable, inaccessible est son chemin.

Héraclite

Allégresse

Nous vivons dans la neige.
Nous savons ce qu'est le froid.
Nous avons appris à le vaincre.
Comment ?
En lui opposant sans cesse
l'allégresse du cœur.

Un chaman eskimo

Dit le ruisseau

Alors que je me promenais dans une vallée et que le jour commençait à poindre, révélant le secret d'une existence qui n'a point de fin, j'entendis au milieu des rochers un ruisseau chanter :

La vie n'est pas dans le bien-être,
mais elle est désir et aspiration.
La mort n'est pas dans l'enchantement,
mais elle est désespérance et souffrance.
La sagesse n'est pas dans la parole,
mais dans le secret qui se cache sous les mots.
La grandeur n'est pas dans le prestige,
la gloire réside plutôt en celui qui refuse tout honneur.
La noblesse n'est pas dans les ancêtres,
car nombreux sont les nobles victimes des aïeux.
L'humiliation n'est pas dans les chaînes,
car une chaîne pourrait être plus sublime qu'une rivière de diamants.
Le paradis n'est pas dans la récompense,

l'éden est plutôt dans un cœur pur.
L'enfer n'est pas dans la torture,
mais plutôt dans un cœur sec.
La richesse n'est pas dans l'or,
car nombre d'errants sont plus riches que les plus fortunés
du monde.
La pauvreté n'est pas dans la misère,
Car la richesse du monde tient dans une miche de pain et
un simple habit.
La beauté n'est pas dans le visage,
la splendeur est plutôt cette lumière émanant du cœur.
La perfection n'est pas dans l'intégrité,
car il est souvent du mérite dans certains péchés.

Voilà ce que disait le ruisseau aux rochers.

Tous ses dires ne sont que quelques secrets du lointain océan.

Khalil Gibran

Respirer

NOTRE EXPIRATION
est celle de l'univers entier.
NOTRE INSPIRATION
est celle de l'univers entier.
A chaque instant, nous réalisons
ainsi la grande œuvre illimitée.
Avoir cet esprit-là,
c'est faire disparaître tout malheur
et engendrer le bonheur absolu.

Maître Kodo Sawaki

Le monde est miroir

Sache que le monde tout entier est un miroir,
dans chaque atome se trouvent cent soleils flamboyants.
Si tu fends le cœur d'une seule goutte d'eau,
il en émerge cent purs océans.
Si tu examines chaque grain de poussière,
mille Adam peuvent y être découverts...
Un univers est caché dans une graine de millet;
tout est rassemblé dans le point du présent...
De chaque point de ce cercle
sont tirées des milliers de formes.
Chaque point, dans sa rotation en cercle,
Est tantôt un cercle, tantôt une circonférence qui tourne.

Mahamûd Shabestari

La chambre de Yi-kong

En quel lieu Yi-kong goûte-t-il l'éveil ?
Il a bâti refuge auprès d'un bois désert,
Par les volets ouverts, l'unique et pur sommet ;
Aux marches du perron, l'infini des vallées.

Les pas de la pluie rejoignent le couchant ;
Le bleu du vide ombre la cour.
Voir la pureté du lotus,
Voir la transparence de l'esprit.

Mong Hao-Jan

Le dit du Bouddha

« Subhuti, si quelqu'un venait à offrir, par un acte de générosité, une quantité incalculable des sept trésors afin d'emplir des mondes aussi infinis que l'espace, le bonheur auquel donnerait lieu ce geste vertueux n'égalerait pas celui dû à un fils ou une fille de bonne famille qui donnerait naissance à l'esprit d'éveil, lirait, réciterait, accepterait et mettrait en pratique ce soutra — cette simple stance de quatre lignes — et l'expliquerait à autrui. Dans quel esprit cette explication devrait-elle être donnée ? Sans demeurer prisonnier des apparences, en s'accordant simplement avec les choses telles qu'elles sont et sans la moindre agitation. Pourquoi en est-il ainsi ?

Toutes les choses composées sont comme un rêve,
un fantôme, une goutte de rosée, un éclair.
Ainsi doit-on méditer sur elles,
ainsi doit-on les observer. »

Après qu'ils eurent entendu le Seigneur Bouddha délivrer ce soutra, le Vénérable Subhuti, les bhikkhus et les bhikkhunis, les laïcs, hommes et femmes, les dieux et asuras, tous emplis de joie et de confiance, entreprirent de mettre ces enseignements en pratique.

Dhammapadha

Saule

Les branches du saule vert,
Aussi fines que des fils.
Même bousculées par la tempête,
Elles ne se rompent pas.
Ne sont ni ébouriffées
Ni nouées.

Si quelqu'un me demande
Ce qu'est le Bouddha,
Je lui réponds :
« Fils du Saule vert
Face au vent ».

Sengaï

Question-réponse dans la montagne

Pourquoi habiter la montagne de jade ?
L'esprit libre, je ris sans répondre.
Silence de l'eau, les fleurs de pêcher glissent —
Monde au-delà du monde.

Li-Po

L’échelle de l’être

Du moment où tu vins dans le monde de l’existence, une échelle fut placée devant toi, pour te permettre de t’évader ;
d’abord, tu fus minéral, puis tu devins plante ;
ensuite tu es devenu animal : comment l’ignorerais-tu ?
Puis tu fus fait homme, doué de connaissance, de raison, de foi ;
considère ce corps, tiré de la poussière : quelle perfection il a acquise !
Quand tu auras transcendé la condition de l’homme, tu deviendras, sans nul doute, un ange ;
alors tu en auras fini avec la terre ; ta demeure sera le ciel.
Dépasse même la condition angélique : pénètre dans cet océan,
Afin que ta goutte d’eau puisse devenir une mer…

Rûmi

L'Absolu

Un père avait deux fils. Quand ils eurent atteint l'âge voulu, ils furent placés sous la direction d'un précepteur religieux pour étudier les textes sacrés du védânta. Après un long laps de temps, les garçons revinrent à la maison. Leur père leur demanda s'ils avaient lu les védas, et, sur leur réponse affirmative, il les pria de lui dire qui était Dieu, Brahman.

Le fils aîné, citant les védas et d'autres livres sacrés, expliqua : « O mon père, on ne peut exprimer Brahman par des mots et Il ne peut être connu de notre esprit. Il est ceci, il est cela », et pour appuyer ses affirmations, il cita encore des textes védântiques. « Ainsi, dit le père, tu connais Brahman. C'est bien, tu peux aller vaquer à tes occupations. »

Puis il posa la même question à son fils cadet, mais celui-ci n'essaya pas de parler ; il demeura silencieux, aucun mot ne sortit de sa bouche. Le père dit alors : « Tu es dans le vrai mon fils, rien ne peut être dit de l'Absolu et de l'Inconditionné. Aussitôt que tu essayes de parler, tu ramènes l'Infini au fini, l'Absolu au relatif, l'Inconditionné au conditionné. Ton silence est plus éloquent que si tu citais à ce sujet une centaine de textes et autant d'autorités qualifiées. »

Conte hindou

Dieu ?

Qu'est-ce donc que l'essence de Dieu ?

Est-il chair ? Bien loin de là. Est-il champ ?

Que non pas. Est-il parole ? Certes non.

Il est intelligence, il est science, il est droite raison.

Quoi ! les bêtes ne sont-elles pas aussi des œuvres divines ? Oui, mais non pas des êtres de premier rang, des portions de Dieu. Toi, tu es au premier rang, tu es un fragment de Dieu ; tu as en toi-même une part de divinité. Pourquoi donc ignorer la noblesse de ta naissance ? Comment ne sais-tu pas d'où tu viens ? Ne veux-tu pas songer, quand tu manges, à l'être qui mange en toi, à l'être que tu nourris ? Dans tes rapports avec une femme, à l'être qui a ces rapports ? Dans la conversation, dans l'exercice, dans la discussion, ne sais-tu pas que tu nourris un dieu, que tu exerces un dieu ? Tu portes un dieu, malheureux, et tu l'ignores !

Epictète

Soleil

Si tu te sens triste et seul
quelque part dans le monde,
allonge-toi sur l'herbe
et l'énergie reviendra,
l'énergie spirituelle que le soleil
donne à la terre
depuis des millions d'années.

Archie Fire Lame Deer

Les mains vides

Kharraqâni disait qu'au jour du jugement Dieu lui demanderait :

« O Abdul Hassan ! qu'as-tu emporté de ton existence terrestre ? »

Et Kharraqâni précisait qu'il répondrait ainsi :

« Rien, Seigneur, rien. Toute ma vie passée, Tu m'as confié un chien méchant : mon égo, et j'ai dû constamment veiller à l'empêcher de nuire aux autres et à moi-même. Tu m'as donné une cabane crasseuse : mon âme ; j'ai passé mon temps à la nettoyer, et j'ai échoué. Que T'attendais-Tu à me voir emporter ? »

Parabole soufie

Le voyage de la vie

Faisons comme dans un voyage en mer. Qu'est-ce qui dépend de moi ? Bien choisir le bateau, le pilote, les matelots, le jour, l'occasion propice... La tempête survient ? Pourquoi m'en soucier encore ? en ce qui me concerne, tout a été fait ; c'est maintenant l'affaire d'un autre — du pilote. Le bateau sombre ? Qu'y puis-je ? Ce que je peux, je le fais : disparaître sans peur, sans cri ni reproche contre Dieu, en sachant bien qu'un être qui est né doit périr. Je ne suis pas l'Eternel, je suis un homme, une partie de l'univers comme l'heure est une partie du jour : il me faut être présent comme l'heure et passer comme elle. Que m'importe alors la manière dont je passe, par la noyade ou par la fièvre ? Il faut bien une chose de ce genre pour m'en aller.

Epictète

Créer

Ce que tu as appelé monde
il faut commencer par le créer.
Ta raison, ton imagination,
ta volonté, ton amour
doivent devenir ce monde.
La vie n'aura servi à rien
à celui qui quitte le monde
sans avoir réalisé son propre monde.

Brihadaranyaka Upanishad

Le fleuve de vie

Le même fleuve de vie
qui court à travers mes veines nuit et jour
court à travers le monde
et danse en pulsations rythmées.

C'est cette même vie qui pousse à travers la poudre
de la terre sa joie en innombrables brins d'herbe,
et éclate en fougueuses vagues de feuilles
et de fleurs.

C'est cette même vie que balancent flux et reflux
dans l'océan-berceau de la naissance et de la mort.

Je sens mes membres glorifiés au toucher
de cette vie universelle.
et je m'enorgueillis,
car le grand battement de la vie des âges,
c'est dans mon sang qu'il danse en ce moment.

Tagore

Soir d'automne en montagne

Dans la montagne vide après la pluie nouvelle
Le soir est au temps d'automne —
Eclats de lune blanche entre les pins,
Flots de source claire sur les rochers.

Au retour des lavandières, bruissent les bambous ;
Les lotus ondulent au passage du pêcheur.
S'évanouissent à leur gré les parfums du printemps :
La noblesse du cœur en prolonge l'essence.

Wang Wei

Le verger

Deux hommes entrèrent dans un verger. L'un d'eux, attaché aux choses temporelles, dès qu'il eut franchi la grille, se mit à compter le nombre des manguiers, le nombre de mangues que chaque arbre portait, et à calculer combien pouvait valoir le verger. Son compagnon se rendit vers le propriétaire, fit sa connaissance, puis s'en alla tranquillement sous un manguier et se mit à cueillir puis à manger des fruits, comme le propriétaire l'y avait autorisé.

Quel est le plus sage des deux ?

Mangez donc les mangues ! Cela vous rassasiera. A quoi sert-il de compter les arbres et les feuilles et de faire des calculs ? L'homme fier de son intelligence est occupé par toutes sortes de vaines discussions et controverses sur Dieu, tandis que le sage, ayant reçu la grâce de Dieu, jouit du bonheur suprême en ce monde.

Conte hindou

Dernier poème

Les petites vagues brillent au clair de lune
Qui change en argent le vert limpide de l'eau.
On croirait voir mille poissons accourir à la mer.

Je suis seul dans mon bateau qui glisse le long de la rive.
Avec les rames j'effleure de temps à autre l'eau.
La nuit et la solitude m'emplissent le cœur de tristesse.

Mais voici une touffe de nénuphars
Avec ses fleurs semblables à de grosses perles.
Je les caresse doucement de mes rames.

Le frémissement des feuilles murmure avec tendresse.
Les fleurs inclinant leurs petites têtes blanches
Ont l'air de me parler.

Les nénuphars veulent me consoler mais déjà
A les voir j'avais oublié ma tristesse.

Li-Po

La beauté

La beauté devant moi fasse que je marche
La beauté derrière moi fasse que je marche
La beauté au-dessus de moi fasse que je marche
La beauté au-dessous de moi fasse que je marche
La beauté tout autour de moi fasse que je marche.

Chant navajo

Amitié

L'amitié mène sa ronde autour du monde,
Nous conviant tous à nous réveiller
Pour la vie heureuse.

Epicure

Le paradis et l'enfer

Un grand samouraï va visiter un maître de sagesse. Il lui demande :

« Que dire du paradis et de l'enfer ? »

Le maître au lieu de lui répondre l'insulte.

Le samouraï, furieux, commence à dégainer son sabre.

Le maître dit :

« Voici que s'ouvrent les portes de l'enfer. »

Touché, le samouraï comprend et rengaine son sabre et salue profondément le maître.

Celui-ci dit alors :

« Voici que s'ouvrent les portes du paradis. »

Cet ouvrage a été composé et imprimé
*par l'***Imprimerie Bussière**
à Saint-Amand-Montrond (Cher)
en décembre 2001

Édition exclusivement réservée
aux adhérents du Club
Le Grand Livre du Mois
15, rue des Sablons
75116 Paris

N° d'impression : 16230.
Dépôt légal : juin 2000.

Imprimé en France

ISBN 2-7028-4069-8